CAR

LE SOLEIL EST MORT DEUX FOIS

BLANC-DUMONT

GREG

Colby

LE SOLEIL EST MORT DEUX FOIS

COULEURS : CLAUDINE BLANC-DUMONT

DARGAUD
EDITEUR
PARIS · BARCELONE · BRUXELLES · LAUSANNE · LONDRES · NEW YORK · STUTTGART

Dépôt légal Septembre 1993
ISBN 2-205-04090-1

Impression CLERC S.A. - 18200 Saint-Amand-Montrond
Relié par BRUN S.A. - 45330 Malesherbes
Dépôt légal Juillet 1993
Printed in France

TROIS! TROIS CLIENTS EN QUATRE MOIS! AH! JE VOUS JURE! JE REGRETTE LES JAPS! AU MOINS, CEUX-LÀ, ON N'EN MANQUAIT JAMAIS!
POP'S
HOTEL
NEW YORK
POP'S

BAH! ON N'A QU'UN SEUL MOIS DE RETARD POUR LE LOYER DU BUREAU... ET UN DES TROIS CLIENTS EN QUESTION DOIT NOUS PAYER TRENTE DOLLARS SAMEDI... AU FAIT, LEQUEL EST-CE ?
LE MARI JALOUX...

TU ES SÛR ? CE N'EST PAS LE GARAGISTE QUI NOUS A DEMANDÉ D'IMPRESSIONNER SON MAUVAIS PAYEUR?
NON, NON. NI L'ÉPICIER QUE SON COMMIS VOLAIT. C'EST LE MARI, JE TE DIS...

JE VOUS PRÉVIENS! ENCORE UN CLIENT COMME ÇA, ET JE DÉSERTE, MOI! J'IRAI REMPILER DANS N'IMPORTE QUELLE ARMÉE COMME MERCENAIRE! EN AFRIQUE, EN ASIE OU AILLEURS! MAIS JE NE...

RESTAURA
POP'S
Budweiser
Miller
Coca-Cola
J'ENTENDS GÉMIR! QU'EST-CE QUI SE PASSE MON PETIT WILLY? TON CHILI N'ÉTAIT PAS BON?
MAIS SI, "POP", MAIS SI. JE... JE SUIS UN PEU NERVEUX, C'EST TOUT. L'HUMOUR DE COLBY ET DE TAXI ME FAIT TOUJOURS CET EFFET-LÀ...
ILS SONT LÀ MONSIEUR...

VOUS VERREZ, VOUS VERREZ, VOS AFFAIRES REPRENDRONT. JE VOUS FAIS CONFIANCE, MOI !
MERCI, POP... MAIS WARSOW N'A PAS TOUT À FAIT TORT... À PART VOUS, L'AGENCE "BLUE-SKY" N'A PAS DES FOULES DE SUPPORTERS, DANS CETTE VILLE, JUSQU'ICI ...
APRIL
ÇA VIENDRA, JE VOUS DIS ! POP DOLAN A DU FLAIR, POUR CES CHOSES-LÀ ! ET JE DIS QUE LE FILS DE MON AMI ELIE WARSOW DOIT FORCÉMENT RÉUSSIR, COMME SES AMIS. À NEW YORK, TOUT EST POSSIBLE, ET LE RESTE AUSSI ! ALLEZ, J'INSCRIS LE REPAS, VOUS ME PAYEREZ LE TOUT QUAND VOUS AUREZ FAIT FORTUNE ...
POP'S
1946
APRIL

...CHIC TYPE ...
C'EST VRAI QU'IL S'APPELAIT ÉLIE, TON PATERNEL ?
POURQUOI CROIS-TU QUE LA FAMILLE WARSOW A QUITTÉ L'ALLEMAGNE EN 34 ?.. MAIS SI TU VEUX VOIR MON BREVET DE NATURALISATION ...
Budweiser

HEY ! JE COMPRENDS MAINTENANT QUE DANS L'AIR FORCE, TU N'AIES ÉTÉ VOLONTAIRE QUE POUR LE PACIFIQUE ! TU NE VOULAIS PAS ALLER CANARDER LA TERRE DE TES ANCÊTRES !
FAUX ! J'AI JAMAIS PU BLAIRER LES JAPS, VOILÀ POURQUOI !
EL of FUN
BEER
WINES
LIQUOR
NO COVER MINIMUM
BARREL of FUN

BON, LES ENFANTS, JE VOUS RAPPELLE QUE LA GUERRE EST FINIE, MAIS QUE LE BOULOT NE FAIT QUE COMMENCER. ON PASSE AU SECRÉTARIAT VOIR S'IL Y A DU NEUF,
LE SECRÉTARIAT ! NE ME FAIS PAS RIRE COMME ÇA, C'EST MAUVAIS POUR MA DIGESTION !
AIR FRANCE
FLY
AIR FRANCE

NOUS CONTINUONS À LES SUIVRE, MONSIEUR ?
NON. PLUS LA PEINE.

ILS REGAGNENT LEUR PETITE OFFICINE. 28, 35ème RUE OUEST TU M'ARRÊTERAS AU COIN DU BLOC SUIVANT, KARL ...
UNE BLONDINETTE IDIOTE, UNE RATÉE DU SHOW-BIZ, RECRUTÉE DEVANT UN STAND DE HOT DOGS! VOUS PARLEZ D'UNE SECRÉTAIRE DE LUXE!

RADIO CITY
RADIO CITY MUSIC HALL
BROADWAY N'A RIEN D'UNE IDIOTE, LA PREUVE C'EST QU... HEY! VISEZ LA BAGNOLE! MINCE DE TORPILLEUR, DITES DONC!
RADIO CITY Music Hall RADIO CITY
ANDREWS SISTERS
LIVE ON STAGE

AVEC VITRES TEINTÉES ET TOUT! C'EST LE DERNIER CRI! SÛREMENT UN GROS PONTE!
CE SERAIT BIEN DE L'HONNEUR ...

..PARCE QUE DANS CE CAS TON "GROS PONTE" NOUS FILE LE TRAIN DEPUIS LA SORTIE DU RESTAURANT. J'IGNORE POURQUOI, MAIS AU PRIX DU GALLON D'ESSENCE, ON A UN ADMIRATEUR COMME JE LES AIME : AVEC DE GROS MOYENS...
?!
3

OUÍ, MADEMOISELLE, VOTRE AGENCE M'A ÉTÉ RECOMMANDÉE PAR LES MEILLEURS HOMMES DE LOÍ...
VOUS RÍGOLEZ?..HEU! JE VEUX DÍRE... MONSIEUR COLBY ET SES ASSISTANTS SERONT BIENTÔT DE RETOUR, MONSIEUR...
BLUE SKY AGENCY
BLUE SKY AGENCY PRIVATE INVESTIGATION
PETER'S
FRUITS VEGETABLES
GROCERIES SANDWICHES DELICATESSEN

INSTALLEZ-VOUS... PARDONNEZ CE SALON D'ATTENTE UN PEU PETIT... HUM... C'EST PROVISOIRE, NOUS FAISONS FAIRE DES TRAVAUX DANS TOUT LE RESTE DE L'ÉTAGE...

AH! ENFIN, VOUS VOILÀ, VOUS TROIS! RESSERREZ VOS CRAVATES! CIREZ VOS CHAUSSURES! ON A UN CLIENT! UN VRAÍ CLIENT!
!!

WAITING ROOM
TONNERRE! SÍ C'EST VRAÍ, J'OUBLIE TOUTE MA NOSTALGIE DES JAPS ET...

MESSIEURS "BLUE SKY"? JE ME PRÉSENTE CAPITAINE IKO TAIYO, DE L'EX-INFANTERIE IMPÉRIALE. JE SUIS TRÈS HONORÉ.
!!!

NOUS DE MÊME, CHER MONSIEUR... HUM... JE SUIS PHILIP COLBY, ET VOICI MES COLLABORATEURS, WILLY WARSOW ET TAX... HEU... JE VEUX DIRE COREY DELANEY... SI NOUS POUVONS VOUS ÊTRE UTILES...
JE SERAIS HONORÉ SI MON CAS DÉRISOIRE RETENAIT VOTRE ATTENTION...

NOUS SERONS PLUS À L'AISE DANS MON BUREAU... MADEMOISELLE, VOUS NOUS SERVIREZ UN PEU DE THÉ...
HUH?

DU THÉ!!! OÙ EST-CE QUE JE VAIS TROUVER ÇA, MOI?
CHEZ LE PHARMACIEN! AVEC UNE SERINGUE! DU MOMENT QU'IL EST ÉCRIT "MADE IN JAPAN" DESSUS... FAUDRA APPRENDRE, POUPÉE!
PH. COLBY

ÉCOUTE, WILL... UN CLIENT JAPONAIS VAUT MIEUX QUE PAS DE CLIENT DU TOUT, QUOI...
BON, BON! ENCORE HEUREUX QU'IL SORTE DE L'INFANTERIE! UN AVIATEUR, J'AURAIS PAS PU!

FAUT ATTENDRE QUE PHIL NOUS APPELLE... ÇA FAIT PLUS "HIÉRARCHIE DE GROSSE BOÎTE"...
OUAIS! SURTOUT QU'ON NE TIENDRAIT PAS À QUATRE DANS CE PLACARD!

AINSI, MONSIEUR TAIYO, VOUS RECHERCHEZ MONSIEUR VOTRE PÈRE... DEPUIS QUAND NE L'AVEZ-VOUS PLUS VU?
DEPUIS DÉCEMBRE 1941. MAIS SA VRAIE DISPARITION EST PLUS RÉCENTE...

DÉCEMBRE 41! PEARL HARBOR! CE CULOT!...
M. BLANC DUMONT 92

NOUS HABITIONS AUX ÉTATS-UNIS MAIS J'ÉTAIS AU JAPON, POUR Y POURSUIVRE MES ÉTUDES. QUAND... QUAND LES ÉVÉNEMENTS ...
OUI. J'EN AI ENTENDU PARLER, EN EFFET...

BIEN ENTENDU, PLUS QUESTION DE REVENIR AUX U.S.A. POUR DE LONGUES ANNÉES; J'ALLAIS ÊTRE ENTIÈREMENT COUPÉ DE MON PÈRE... DE PLUS, MON DEVOIR ÉTAIT DE SERVIR MON PAYS...

C'EST MOI QUI VOUS AI RECOMMANDÉ À NOTRE CLIENT COMMUN, MONSIEUR COLBY. VOUS ALLEZ COMPRENDRE ...
?

MOI ET MES AMIS AUSSI. ÉCOUTEZ, CAPITAINE TAIYO, CES... CES CIRCONSTANCES SONT TOUTES FRAÎCHES... JE NE VOUS CACHE PAS QUE, SI VOUS POUVIEZ VOUS TROUVER UNE AUTRE AGENCE... HUM...

HAVELOCK TREVELYAN, "ATTORNEY AT LAW"!.. PARDONNEZ MON LÉGER RETARD, CAPITAINE TAIYO... LES EMBARRAS DE MANHATTAN...
JE SUIS CONFUS DES ENNUIS QUE JE CAUSE, MAÎTRE...

MONSIEUR COLBY, J'AI UNE PROFONDE ADMIRATION POUR LES HÉROS DE GUERRE, QUELQUE SOIT LE PAVILLON SOUS LEQUEL ILS ONT COMBATTU...

LE CONFLIT EST TERMINÉ, RESTENT LES AFFINITÉS. SELON MOI, NUL N'EST PLUS INDIQUÉ QUE VOUS POUR AIDER LE CAPITAINE... ENVERS QUI, COMME ENVERS SES COMPATRIOTES, NOUS AVONS DES TORTS, COLBY. DE GRANDS TORTS!
ALLONS DONC! À CE POINT?
6

* LE 19 FÉV. 42: 100.000 DÉTENUS SUR ORDRE PERSONNEL DE ROOSEVELT.

L'OPÉRATION, UN TANT SOIT PEU IMPROVISÉE, AVAIT ÉTÉ FILMÉE PAR LE SERVICE DES "ACTUALITÉS"... C'EST RESTÉ CONFIDENTIEL. À LA DEMANDE DU PRÉSIDENT LUI-MÊME, ON A JUGÉ PRÉFÉRABLE DE NE PAS DISTRIBUER CE DOCUMENT DANS LES CINÉMAS...

J'Y AI CEPENDANT EU ACCÈS. PALOMAR FLATS ÉTAIT UN CAMP STRICTEMENT RÉSERVÉ AUX HOMMES, CAR ON N'AVAIT PAS POUSSÉ LE ROMANTISME JUSQU'À LAISSER LES FAMILLES RÉUNIES...

OR, MIRACLE! UN PLAN DU FILM MONTRAIT UN GROUPE DE PRÈS... J'AVAIS UNE PHOTO DU VIEUX MONSIEUR SUN... ENFIN, TAIYO, J'AI PU L'IDENTIFIER SANS ERREUR POSSIBLE...
US

SOIT. ADMETTONS. L'ÉPISODE N'EST PAS GLORIEUX. MAIS J'AI LU DANS LA PRESSE QUE LE GOUVERNEMENT AVAIT À PRÉSENT LIBÉRÉ ET DÉDOMMAGÉ TOUS LES DÉTENUS. CES CAMPS SONT DÉSORMAIS VIDES, ET...
PRÉCISÉMENT.

LES ULTIMES PRISONNIERS SONT RENTRÉS CHEZ EUX IL Y A EXACTEMENT TROIS SEMAINES. PALOMAR FLATS, COMME LES AUTRES ENDROITS DE CE GENRE, EST EN VOIE DE DÉMOLITION...

MON PÈRE A SIGNÉ LE LIVRE DES SORTIES LE 19 MARS. IL ÉTAIT EN POSSESSION D'UNE SOMME DE 400 DOLLARS ET D'UN CERTIFICAT D'HONORABILITÉ NATIONALE. **ET IL N'EST JAMAIS RENTRÉ CHEZ LUI MONSIEUR COLBY!**
!!!
8

HEU.. ÉVIDEMMENT, SI DISPARITION IL Y A EFFECTIVEMENT, C'EST INDÉNIABLE-MENT DANS NOS CORDES... TOUTE-FOIS, JE NE VOUS CACHE PAS, MAÎTRE TREVEYLAN...

...QUE VOUS DEMANDEZ À RÉFLÉCHIR. C'EST BIEN NORMAL. J'AI, À TOUT HASARD, PRÉVU ICI DE QUOI VOUS Y AIDER: UN RÉSUMÉ SUCCINCT DE L'AFFAIRE, LES NUMÉROS OÙ VOUS POUVEZ À TOUTE HEURE JOINDRE MON CLIENT OU MOI-MÊME...

...AINSI QU'UN CHÈQUE POUR COUVRIR VOS INVESTIGATIONS PRÉLIMINAIRES. LA FAMILLE DE MESSIEURS TAIYO.. HUM... DISPOSE DE CERTAINS MOYENS... CETTE SOMME VOUS EST ACQUISE...

...MÊME SI, À NOTRE REGRET, VOUS DÉCIDIEZ DE RENONCER, MESSIEURS, NOUS ATTENDRONS VOTRE APPEL. NE NOUS LAISSEZ PAS TROP LONGTEMPS DANS L'INCERTITUDE. MERCI.

MADEMOISELLE...

YEEEPIIIE!!

VOUS AVEZ VU TOUS CES ZÉROS? ET LA VIRGULE NE VIENT QU'APRÈS, LES ENFANTS!
FAUDRA PASSER D'URGENCE À LA BANQUE SI ON VEUT ARROSER ÇA: MÊME TA VIRGULE, ON L'A SÉCHÉE DEPUIS LONGTEMPS!

ALLEZ, ON Y VA!.. BEN QUOI, PHIL? ON DÉCROCHE LA TIMBALE, ET TU FAIS UNE TÊTE DE CROQUE-MORT?..
À TON AVIS, IL NOUS COUVRE D'OR POURQUOI, LE MUNIFICENT ET CÉLÈBRE AVOCAT?

BEN... IL A ENTENDU PARLER DE NOUS... IL NOUS A CHOISIS PARCE QU'ON EST LES MEILLEURS...
NON.

C'EST VRAI QU'IL NOUS A MÉTICULEUSEMENT CHOISIS. ÇA A DÛ LUI PRENDRE UN MOMENT: IL VOULAIT ÊTRE SÛR DE SÉLECTIONNER LES PRIVÉS LES PLUS MINABLES DE TOUTE LA VILLE!
HUH?
BLUE SKY AGENCY

MAIS POURQUOI?
ÇA, ON LE SAURA TRÈS VITE. BEAUCOUP PLUS VITE, JUSTEMENT, QUE NE LE PRÉVOIT MAÎTRE HAVELOCK TREVELYAN! DIRECTION: LE BAR DE L'ESCADRILLE, CHEZ MAX!!

PAR EXEMPLE! LE CAPITAINE ET SES GUIGNOLS! EN VOILÀ UNE SURPRISE!
RENGAINEZ VOTRE SOURIRE, SERGENT: C'EST UN HOLD-UP!
BAR
M BLANC DUMONT 92 10

LE CAPITAINE COLBY! MINCE DE MINCE! QUAND JE PENSE À TOUS LES BOULONS QUE J'AI PU VISSER SUR VOTRE "BLUE SKY" PENDANT LA BAGARRE, ET QUE VOUS ÊTES ALLÉS PERDRE AU-DESSUS DES PHILIPPINES, ÇA ME REMUE ENCORE. UN SOUVENIR COMME ÇA, ON PAYERAIT POUR!
C'EST EXACTEMENT CE QUE JE VAIS TE DEMANDER, MAX. MAIS CE NE SERA QU'UN PRÊT.

'Z'AVEZ BESOIN DE POGNON ?
DEUX CENTS DOLLARS. CASH. TU PEUX ?
MAIS, PHIL, TU RÊVES! ON A LE CH...

UN CHÈQUE, À NEW YORK, ÇA SE DÉPOSE SUR UN COMPTE. LE NÔTRE EST À ZÉRO. AUCUNE BANQUE NE NOUS L'ENCAISSERA EN LIQUIDE AVANT TROIS JOURS. ET TREVEYLAN LE SAIT.

FOUTEZ-MOI LE CAMP! C'EST FERMÉ! RÉUNION COMMERCIALE!
AH... AH BON ...

ON N'EST JAMAIS TRANQUILLE. BON. LE TEMPS DE FAIRE PÉTER MON COFFRE ET VOUS AVEZ LE MAGOT, MON CAPITAINE. ET SI VOUS PARLEZ DE REÇU, JE ME FÂCHE.
CLOSED
T'AS TOUJOURS DES COPAINS, DANS LA MÉCANIQUE? IL ME FAUT UNE VOITURE À LOUER SANS DÉPÔT DE GARANTIE ET AVEC LE PLEIN.

ON VA VOYAGER ?
TOI. DÈS CETTE NUIT. TAXI, LUI, PRENDRA LE TRAIN DU MATIN POUR LE CONNECTICUT. BROADWAY VOUS DISTRIBUERA LES SOUS, LES BROSSES À DENTS ET LES CHARGEURS DE RECHANGE...
11

PALOMAR FLATS.. BEN! JE N'Y SUIS PAS ENCORE... AU MOINS VINGT HEURES DE VOLANT!
BAH! TU T'ARRÊTERAS DEUX FOIS POUR PISSER, VOILÀ TOUT. ON A PARFOIS FAIT MIEUX AU-DESSUS DU PACIFIQUE.
TEXACO
GAS
TU ME DÉPOSES À LA GARE? JE PRÉFÈRE NE PAS DORMIR DU TOUT...

RAPPELEZ-VOUS: WARSOW PREND LA PISTE À LA SORTIE DU CAMP, ET TAXI, LÀ OÙ Mr SUN AURAIT DÛ ARRIVER. TROIS JOURS MAXIMUM POUR CERNER LE POINT DE FRACTURE DANS L'ITINÉRAIRE. BROADWAY RESTERA EN PERMANENCE PRÈS DU TÉLÉPHONE POUR LES RAPPORTS.

VOUS CROYEZ QUE CE SERA DANGEREUX ?
PAS TOUT DE SUITE. ET JAMAIS S'ILS NE TROUVENT RIEN : C'EST POUR ÇA QU'ON NOUS PAYE. MAIS AVEC CES DEUX-LÀ, C'EST UN MAUVAIS PLACEMENT.

...ET NOUS ?...
VOUS, À NEUF HEURES, VOUS DÉPOSEZ LE CHÈQUE ET PUIS VOUS RÉGLEZ LES FOURNISSEURS. MOI...

...JE VAIS PASSER LA NUIT AU POSTE. UNE IDÉE COMME ÇA. ON DOIT TOUT CONNAÎTRE, DANS CE MÉTIER. ALLEZ: DODO, BROADWAY. ÇA EN FERA UNE DE FRAÎCHE DANS L'ÉQUIPE.
TEXACO

MORT ? VOUS ÊTES SÛR ? FAUDRA QUE JE LE PROUVE À MES EMPLOYEURS, ALORS...

ON NE L'A JAMAIS REVU. SA MAISON EST RESTÉE À L'ABANDON PENDANT QUATRE ANS, SUR LA COLLINE...

UN TYPE DE CE CALIBRE-LÀ N'IRAIT PAS SE FATIGUER POUR PIQUER QUELQUES DOLLARS À UN JAPONAIS ORPHELIN. IL Y A DE L'ÉNORME LÀ-DESSOUS ET JE TROUVERAI QUOI !

* MAISON COMMUNALE.

STANDARD
BLUE MOON
HOTEL
BAR
BAR
DANCING
FOR SALE
ATLAS TIRES
SAVE
TIENS! UN FOU!!

...Z'ÊTES TROMPÉ DE ROUTE À L'EMBRANCHEMENT, L'AMI. PAR ICI, VOUS FONCEZ DROIT VERS RIEN DU TOUT. C'EST POUR ÇA QUE JE VAIS FAIRE FAILLITE, COMME LE BORDEL D'EN-FACE.
MES CONDOLÉANCES.

S'IL RESTE UN BOUT DE MIROIR DANS VOS TOILETTES, J'IRAI ME RASER PENDANT QUE VOUS FAITES LE PLEIN. C'EST ENCORE LOIN, PALOMAR FLATS?
QUATRE HEURES. ET QUATRE HEURES POUR REVENIR FAIRE UN AUTRE PLEIN, APRÈS QUE VOUS AUREZ CONTEMPLÉ LE NÉANT.

AH! MONSIEUR! LES FLATS! LE CAMP DE REGROUPEMENT! LE CASERNEMENT! LES TEMPS DE L'ABONDANCE, QUAND LES GARDES ET LES AUTRES VENAIENT SE RINCER LA DALLE ICI. ON ÉTAIT LA SEULE ATTRACTION DU COMTÉ, MONSIEUR!

QU'EST-CE QU'ON DEVAIT SE POILER! J'AI HÂTE D'ALLER VISITER LES VESTIGES DE CET ÂGE D'OR! MAIS JE ME RASE D'ABORD.
MEN
REST ROOM

ÇA SIMPLIFIE. COMMENT LE VIEUX TAIYO A-T-IL PU S'ÉGARER SUR UNE ROUTE TOUTE DROITE OÙ IL NE RESTE QUE DES CAILLOUX À SUCER?

HÉ! M'SIEU! LE GROS LARRY VOUS A MENTI. POUR CINQUANTE CENTS, JE VOUS EXPLIQUE. O.K.?
?
M. BLANC DUMONT 92
15

ÇA VA. TU L'AS, TON DEMI-DOLLAR, ALORS ?
C'EST PAS VRAI QU'IL N'Y AVAIT AUCUN ENDROIT POUR S'AMUSER ENTRE LES FLATS ET ICI. IL Y A AU MOINS QUATRE RUES ET DES BARS, À PALOMAR.

SEULEMENT, LÀ-BAS, C'ÉTAIT TROP VOYANT. PARCE QUE LES BONS CLIENTS, C'ÉTAIENT PAS LES GARDES. C'ÉTAIENT LES PRISONNIERS JAPONAIS. ON EN AMENAIT DISCRÈTEMENT UNE FOURNÉE CHAQUE SAMEDI SOIR POUR QUELQUES HEURES DE RÉCRÉATION...

UNE COMBINE, HEIN ? TIENS. JE CROYAIS QUE TOUT LE FRIC DES JAPS ÉTAIT GELÉ JUSQU'À LA FIN DE LA GUERRE. ILS PAYAIENT COMMENT ?
OH ! ILS SIGNAIENT DES BONS AU SERGENT KIRSCH L'ÉCONOME DU CAMP...

KIRSCH AVAIT UN DOSSIER SUR CHAQUE JAP. IL SAVAIT AU "CENT" PRÈS DE QUOI ILS ÉTAIENT PROPRIÉTAIRES DANS LE CIVIL. AVEC ÇA, IL DEMANDAIT LE FEU VERT AU VRAI PATRON, À NEW YORK. J'AI JAMAIS SU QUI C'ÉTAIT...
FORCÉMENT. DISCRÉTION AVANT TOUT, DANS CE GENRE DE BUSINESS...

...PAS VRAI, LARRY ?...

ESPÈCE DE SALE PETIT CAFARD, TU VAS...

OH ! J'OUBLIAIS...
ATLAS TIRES
SAVE

POUR LA DISTRACTION, PAS BESOIN DE FACTURE, LARRY. JE PAYE DE LA MAIN À LA MAIN !
STANDARD
NEW YORK
JD346
16

GAS
STANDA
BON. IL M'A VRAIMENT FAIT LE PLEIN. TROIS DOLLARS QUINZE. ÇA AUSSI, C'EST DE L'ARNAQUE
VOUS... VOUS N'ALLEZ PAS ME LAISSER SEUL AVEC LUI?

NON. TU ES CHÔMEUR, DE TOUTE FAÇON. TU AS TROIS MINUTES POUR EMBALLER TES RICHESSES. JE TE DÉPOSERAI À L'ARRÊT DES BUS.
OÙ EST LE TÉLÉPHONE?

SUR LE BUREAU DU GROS. C'EST POUR UNE "LONGUE DISTANCE"?
NON.
ATLAS TIRES
TIRES
$15.95
SAVE
SAVE
WE ARE OPEN

DU MOINS PAS ENCORE...

...C'EST POUR EMPORTER!

VOUS VOULIEZ PAS QU'IL PUISSE PRÉVENIR KIRSCH, HEIN? C'EST ÇA?
TU FERAS UN JOUR UN BON FLIC, MÔME. EN ATTENDANT PRENDS TOUTE LA DISTANCE QUE TU PEUX. J'AI IDÉE QU'ON VA COMMENCER À ÉNERVER DES RANCUNIERS, TOI, MOI, ET DEUX COPAINS QUE J'AI DANS LE NORD...

334, LIBERTY DRIVE... LA SOMPTUEUSE RÉSIDENCE DE MONSIEUR SUN. BEN DIS DONC! MOI NON PLUS, JE NE SAIS PAS TROP SI J'AURAIS EU ENVIE D'Y REVENIR....
17

MINCE! "LA NATURE REPREND SES DROITS", COMME ON DIT DANS LES BEAUX TEXTES, ENCORE QUELQUES MOIS COMME ÇA, ET IL FAUDRA REMOBILISER LES GARS QUI NOUS CONSTRUISAIENT DES PISTES D'ATTERRISSAGE DANS LES JUNGLES, À GRANDS COUPS DE CATERPILLARS!
US

POUR L'INTÉRIEUR, FAUDRA QUE COLBY S'ARRANGE POUR OBTENIR UN MANDAT. MAIS JE PEUX DÉJÀ LUI RAPPORTER UNE IMAGE GÉNÉRALE DU SITE ENCHANTEUR ....

K.KRAK ...
?

C'EST PAS QUE JE VEUILLE DÉCOURAGER LE TOURISTE, MAIS FAUDRAIT M'EXPLIQUER CE QUE TU FAIS LÀ, L'AMI. JE NE RÉPÉTERAI PAS MA QUESTION, VU QUE LA DEUXIÈME FOIS, T'AURAIS PLUS D'OREILLE POUR M'ENTENDRE.

JE M'APPELLE DELANEY, DES ASSURANCES ATLAS. JE CHERCHE UN CLIENT QUI NOUS DOIT DES SOUS. VOUS CONNAISSEZ ?..

C'EST LE CITRON QUI HABITAIT ICI AVANT LA GUERRE. TOUT LE MONDE SAIT QU'IL EST MORT, MAIS ON N'A PAS ENCORE PU LE PROUVER LÉGALEMENT. LA MAISON EST À MOI, MAINTENANT. ENFIN, PRESQUE...
AH BON? ET VOUS REPLANTEZ DÉJÀ DES ROSES?.. SUR UNE TOMBE, PEUT-ÊTRE?

DIS DONC, FOUILLE-CHOSE. J'AIME PAS TON HUMOUR.
PARDON. DANS LES ASSURANCES SUR LA MORT, HEIN.. ET COMMENT COMPTEZ-VOUS LE PROUVER QU'IL EST MORT, CE MONSIEUR SOLEIL?
18

ÇA DÉPEND. SI ON NE TROUVE PAS LE CORPS, LA LOI DIT QU'IL FAUT ATTENDRE DIX ANS. JE VOUS OFFRE UN VERRE ?
C'EST ENCORE UN PEU TÔT, MAIS BAH ! SI C'EST À LA MÉMOIRE DU DISPARU...

JE M'APPELLE BRONZ. HUGO BRONZ. C'EST BIEN DANS LES ASSURANCES, QUE VOUS M'AVEZ DIT QUE VOUS ÉTIEZ ?
C'EST CE QUE J'AI DIT. ENQUÊTEUR, SI VOUS PRÉFÉREZ. VOUS N'AURIEZ PAS UNE PETITE CACAHUÈTE À GRIGNOTER, AVEC LE RAFRAÎCHISSEMENT ?

JE VOUS EXPLIQUE. EN OCTOBRE 41, LE JAP A DÉCIDÉ DE VENDRE LA BICOQUE. IL LA TROUVAIT TROP GRANDE POUR LUI TOUT SEUL. ON A SIGNÉ DES PAPIERS. JE DEVAIS RÉGLER EN DIX ANS...
IL A CHANGÉ D'AVIS ?

NON. ON L'A FOUTU AU BLOC POUR CAUSE DE PEARL HARBOR, LUI ET TOUS LES AUTRES JAUNÂTRES DU PAYS. MAIS MOI, J'AI PERDU LE DROIT D'OCCUPER LES LIEUX : SUSPENSION PROVISOIRE DE TOUTES LES TRANSACTIONS, QU'ILS ONT DÉCRÉTÉ À WASHINGTON. QU'EST-CE QUE VOUS DITES DE ÇA ?

QU'IL N'Y A PAS DE JUSTICE. DITES DONC... JUSTE POUR MON RAPPORT... VOUS L'AVEZ LÀ, LE PAPIER ? LA PROMESSE DE VENTE, JE VEUX DIRE...

J'HABITE PAS ICI, JE VOUS AI DIT. RENDEZ-VOUS CE SOIR AU COFFEE SHOP, DEVANT LA GARE, À HUIT HEURES. J'APPORTERAI LES PAPELARDS.
JE CONNAIS. DES OEUFS SUPERBES...

LES ASSURANCES ATLAS, HEIN ? TIENS DONC !..
19

...ET DE NOUVEAU TROIS BORNES POUR LE CENTRE-VILLE ... CE PATELIN COMMENCE À M'ÊTRE ANTI-PATHIQUE... ET ON JURERAIT QU'IL ME LE REND BIEN !

...MON CHARME NATUREL S'EFFRITERAIT-IL? AUCUNE BAGNOLE NE S'AR... AH?..

ENFIN! MESSIEURS, MES SEMELLES ET MOI VOUS CRIENT LEUR RECONNAIS...

PAS D'ERREUR, C'EST LE CLIENT.

AÏE!.. QU... OOOOFFHH..

ÇA SUFFIT, GINO. VIDE SES POCHES ET FAUCHE SON SAC, ON SE TIRE !

MON DIEU ! LE PAUVRE GARÇON! LE PAUVRE GARÇON!
AH, LES VOYOUS! JE N'AI JAMAIS VU ÇA À EASTPORT ! PAUVRE GARÇON.. MAIS VOILÀ DÉJÀ LA POLICE...
NUUWUU
UWU
N.NON.. P.PAS LA P...

AH! MESSIEURS LES OFFICIERS! J'AI TOUT VU! ON A FRAPPÉ CET HOMME, ET...
BAGARRE ENTRE RÔDEURS, OUI. NOUS AVONS ÉTÉ PRÉVENUS PAR TÉLÉPHONE-RADIO ... DEBOUT, TOI!
CHEVROLET
POLICE
L7204

C'EST BIEN ÇA... PAS DE PORTEFEUILLE ...AUCUN PAPIER...
MAIS PUISQUE JE VOUS DIS...
POLI

EEeeeh BEN, VOILÀ!!

VAGABONDAGE... PORT D'ARME... BAGARRE SUR LA VOIE PUBLIQUE... J'ESPÈRE QUE T'AIMES LES HARICOTS, MON P'TIT GARS, C'EST L'UNIQUE MENU DES TAULARDS, À LA PRISON LOCALE.

MAIS CE N'EST PAS VRAI! ATTENDEZ! REVENEZ! JE VOUS DIS QUE J'ÉTAIS À MA FENÊTRE, ET... AH! LES VOYOUS!

JE SAIS! TÉLÉPHONER AU JOURNAL! À CETTE MISS SULLIVAN, QUI ÉCRIT TOUJOURS DE SI BEAUX ARTICLES! ELLE SAURA QUOI FAIRE, ELLE!
21

NOUS Y VOILÀ. TIENS, ON DÉMONTE LE CIRQUE. MAIS IL Y A ENCORE DES CHIMPANZÉS.
PALOMAR FLATS
US ARMY
SECURITY CAMP
NO ENTRY

HÉ LÀ, LE CIVIL.. OÙ CROYEZ-VOUS ALLER COMME ÇA ?

LIEUTENANT WILLY WARSOW, SERVICES SPÉCIAUX DE L'AIR FORCE. J'AI MIS MES DÉCORATIONS AU CLOU POUR ME PAYER UNE CARTE DE VOTRE DÉSERT, MAIS QUE ÇA NE VOUS EMPÊCHE PAS DE ME SALUER, CAPORAL..

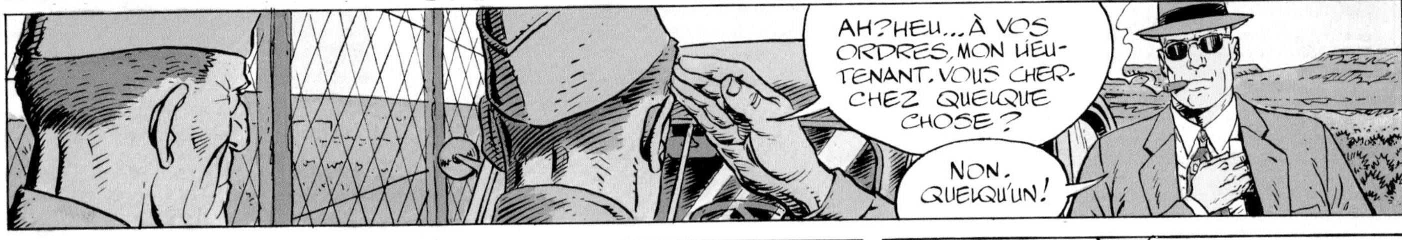
AH? HEU... À VOS ORDRES, MON LIEUTENANT. VOUS CHERCHEZ QUELQUE CHOSE ?
NON. QUELQU'UN!

MON PAPA.. VOUS AVEZ SÛREMENT REMARQUÉ QUE J'ÉTAIS MÉTIS. LUI, IL S'APPELAIT TAIYO, OU SUN. COMBIEN DE TEMPS L'AVEZ-VOUS HÉBERGÉ, SERGENT KIRSCH ?
?

VOUS CONNAISSEZ MON NOM?
BEN, TIENS. LE LUPANAR-MODÈLE, À CENT MILES D'ICI, LES VIRÉES PRIVÉES DU SAMEDI SOIR. LE BRAS DROIT DU GRAND PATRON DE NEW YORK. VOUS ÊTES UNE RÉFÉRENCE, KIRSCH. ET QUAND ON VOUS VOIT, ON N'EST PAS DÉÇU.

NOM D... VOUS NE DEVIEZ ARRIVER QUE LUNDI !
AINSI, LE CALCUL DE COLBY ÉTAIT BON. MAIS VOUS VOYEZ, KIRSCH: ON EST DES RAPIDES, CHEZ NOUS! LÂCHEZ VOTRE OBUSIER!
22

BON, BON, ÇA VA ! OKAY, ON M'AVAIT PRÉVENU QU'UN FLIC VIENDRAIT FOUINER. MAIS ON M'A DIT DE VOUS AIDER SI JE POUVAIS, C'EST TOUT...
JE VOIS. C'EST MA FAUTE. J'AI MAL ENGAGÉ LA CONVERSATION

ALORS ... TAÏYO ?..
BOF ! UN VIEUX JAP. J'EN AI VU PASSER DES CENTAINES, ICI . ILS SE RESSEMBLAIENT TOUS.

DU MOMENT QUE VOUS AVEZ SON NOM... PAS DE PROBLÈME, MON REGISTRE DES SORTIES EST BIEN TENU ....
J'EN SUIS SÛR. COMME TENANCIER, VOUS ÊTES UN EXPERT.

T...TAMARU... TOSHIBA... NON, C'EST PLUS HAUT... AH ! TAÏYO, IKO, ALIAS IKE SUN... IL EST SORTI DANS LES DERNIERS. VOILÀ : LE JOUR, L'HEURE, ET SA SIGNATURE ....

ET APRÈS ?
APRÈS QUOI ?.. APRÈS, RIEN. ILS ONT TOUS ÉTÉ SE FAIRE PENDRE OÙ ILS VOULAIENT. PAS MON AFFAIRE. J'Y AI ASSEZ PERDU COMME ÇA.

PARLONS-EN, JUSTEMENT. VOS PETITES COMMISSIONS ... LES FICHES DÉTAILLÉES SUR LES JAPONAIS ...
DES POURBOIRES ! ON M'A ROULÉ. LES FICHES, JE LES ENVOYAIS À NEW YORK, ET JE NE VOIS PAS POURQUOI JE NE VOUS DONNERAIS PAS L'AD...

MAIS... ATTENTION ! LA CAMIONNETTE !!...
23

RHACK AACKHATAC

BANG
BANG

AAOOFF..

PAW

KIRSCH! KIRSCH! BON SANG! ILS L'ONT COUPÉ EN DEUX!
PAWPAN CLK

IL EST MORT! MAIS C'EST VOUS QU'ILS VOULAIENT! J'AI BIEN VU LEURS YEUX, ILS..
JE SAIS. DES FOIS, JE DÉPLAIS. C'EST UNE HABITUDE À PRENDRE. INUTILE DE FOUILLER CELUI QUI EST RESTÉ SUR LE CARREAU. LES PROFESSIONNELS ONT TOUJOURS LES POCHES VIDES, DANS CES CAS-LÀ...
24

EH! VOUS N'ATTENDEZ PAS LA M.P. POUR L'ENQUÊTE?
J'AI LAISSÉ MA CARTE DANS LE BUREAU. ON SAURA OÙ ME TROUVER. POUR LE MOMENT, J'AI SOIF, JE VAIS FAIRE UN TOUR À PALOMAR-CITY...

BEN, DIS DONC. IL Y A DES JOURS OÙ ON REGRETTE DE NE PAS RÉDIGER SES MÉMOIRES...

EDDY'S
HERBIE'S BAR SALOON
'Z'AVEZ L'AIR CREVÉ. BIÈRE?
DANS UN CRUCHON DE TROIS LITRES, SI VOUS AVEZ. ET C'EST VRAI QUE JE DORMIRAIS BIEN DEUX HEURES..

IL Y A UN HÔTEL PAS CHER MAIS SANS TROP DE PUCES, DANS LE COIN?
NON. ON A LES PUCES, MAIS PAS L'HÔTEL. SAUF CHEZ LA MÈRE CATHY, AU BOUT DE LA RUE. ELLE LOUE DES CHAMBRES MEUBLÉES. ESSAYEZ TOUJOURS.

D'ACCORD, MERCI. BON, JUSTE POUR LA ROUTINE... UN JAP DANS LES CINQUANTE ANS... PETIT, RONDOUILLARD ... JAMAIS VU?
NON...

SI CE GARS-LÀ N'EST PAS UN FLIC, MOI, JE M'APPELLE GUSTAVE...
ÇA T'IRAIT BIEN. APPELLE-MOI DONC L'OPÉRATRICE, À CARSON VILLE. J'AI UN APPEL POUR MANHATTAN...

HÉ! TOI, LE VAGABOND.. ESSUIE LA SAUCE SUR TON MENTON, T'AS UNE VISITE.
UNE PHISITE? MOI? PHOUS ÊTES PHÛR?
M. BLANC DUMONT 92 25

JO SULLIVAN, DU JOURNAL LOCAL, LE "CLARION" ... VOUS PRÉTENDEZ VOUS APPELER DELANEY, VENANT DE NEW YORK ?

OUI, MAIS JE NE PEUX PAS LE PROUVER, ON M'A VOLÉ MES PAP... AIE!
LAISSEZ-VOUS FAIRE, LES BOXEURS PERDANTS, C'EST MA SPÉCIALITÉ. VOUS ÊTES PEUT-ÊTRE L'HOMME QUE NOUS ATTENDIONS. RACONTEZ. QU'EST-CE QUI VOUS A AMENÉ ICI ?

EN TÔLE ? LA NAÏVETÉ, MADAME. CELLE QUI CONDUIT LES ROIS EN EXIL ET LES IDÉALISTES EN PRISON. LE MONDE EST FAIT COMME ÇA...

DÉCLARATION: COREY P. DELANBY, DOCTEUR EN DROIT. SERAIT VENU À EASTPORT INTERROGER DES TÉMOINS SUR LA DISPARITION D'UN ANCIEN RÉSIDENT D'ICI. PRÉTEND S'ÊTRE RENDU AU 334 LIBERTY DRIVE, ANCIENNE ADRESSE DU SUSDIT, ET Y AVOIR PARLÉ À UN JARDINIER...

NOUS AVONS VÉRIFIÉ. PERSONNE À L'ENDROIT INDIQUÉ. C'EST À L'ABANDON, INHABITÉ. IL A MENTI
AH! LE SAL... PARDON

OK, CARRINGTON. JE PAYE LA CAUTION, ET J'EMMÈNE MONSIEUR.
C'EST LÉGAL. IL DEVRA PASSER DEVANT LE JUGE DANS HUIT JOURS. MAIS POUR SON PÉTARD, JE NE PEUX FAIRE QU'UN BON, ON LE LUI RENDRA SEULEMENT S'IL EST DÉCLARÉ "CLAIR"

POLICE DEPT SHERIFF OFFICE
POURQUOI FAITES-VOUS ÇA ?
POLICE
PARCE QUE C'EST BRONZ ET SES COPAINS QUI VOUS ONT PIÉGÉ. ÇA FAIT DEUX ANS QUE LE "CLARION" ESSAYE DE LES AVOIR. VOUS ALLEZ LA GAGNER, VOTRE CAUTION, DELANBY!
26

THE CLARION
THE CLARION
EDITOR MANAGER C. MATTHEWS
THE CLARION
DELANEY, JE VOUS PRÉSENTE L'HOMME QUI DEVRAIT UN JOUR POSER POUR LA STATUE DE LA LIBERTÉ DE LA PRESSE : CHUCK CONNORS, PROPRIÉTAIRE DU "CLARION". MON PATRON.
SOYEZ LE BIENVENU ET N'ÉCOUTEZ PAS CETTE ÉCERVELÉE, MONSIEUR DELANEY. JE NE SUIS QU'UN VIEUX GRATTE-PAPIER TÊTU, MAIS IL SE TROUVE QUE J'AIME ÇA.
APPELEZ-MOI TAXI, MONSIEUR MATTHEWS. C'EST LE NOM QUE ME DONNENT MES AMIS. ET JE CROIS QUE JE VIENS D'EN RENCONTRER...

MERCI POUR LA CAUTION. SANS VOUS, JE PASSAIS LE WEEK-END DERRIÈRE LES BARREAUX.
JE PENSE QUE C'EST CE QU'ON VOULAIT. À MON AVIS, L'AGENCE "BLUE SKY" S'AGITE UN PEU TROP VITE AU GRÉ DE CERTAINS... CAFÉ ?

VOUS CONNAISSEZ L'AGENCE ?
MÊME UN PETIT CANARD DE PROVINCE, POUSSIÉREUX COMME LE MIEN, A ENCORE SES INFORMATEURS, TAXI... VOUS RECHERCHEZ LE VIEUX MR SUN, QUI A DISPARU. ET VOUS AVEZ FAIT LA CONNAISSANCE DES NÉFASTES QUI RÔDENT AUTOUR DE SA MAISON, ICI À EASTPORT...

OR, CETTE MAISON N'EST PAS VENDUE. POUR FAIRE VALOIR LEURS DROITS, LES NOUVEAUX "PROPRIÉTAIRES" DOIVENT OBLIGATOIREMENT PRODUIRE UN CADAVRE : PAS DE CORPS, PAS DE DÉCÈS LÉGAL, ET LES CHOSES SONT BLOQUÉES. C'EST POURQUOI ON VOUS A ENGAGÉ, VOS AMIS ET VOUS.

HEY! UNE MINUTE. VOUS VOULEZ DIRE QUE WARSOW OU MOI ALLONS TROUVER LE CORPS DE SUN ?
CELUI-LÀ OU UN AUTRE QUI FERA L'AFFAIRE. IL SERA SANS DOUTE UN PEU DÉFIGURÉ, MAIS ON COMPTE BIEN VOUS FAIRE GOBER L'APPÂT. LE TÉMOIGNAGE OFFICIEL DE FLICS PRIVÉS : UNE PIÈCE DE DOSSIER BLINDÉE. COMME LES AIME MAÎTRE HAVELOCK TREVEYLAN, DONT J'AI BEAUCOUP ENTENDU PARLER

DÈS QUE J'AI APPRIS VOTRE ARRIVÉE, J'AI SU QU'ON ALLAIT VOUS FAIRE DES MISÈRES : ON NE VOUS ATTENDAIT PAS SI TÔT. JE SUPPOSE QUE LE CADAVRE N'EST PAS PRÊT...
!
27

ATTENDEZ... VOUS SUGGÉREZ QUE LE VIEUX TAIYO A, UNE PREMIÈRE FOIS, **RÉELLEMENT** DISPARU, C'EST-À-DIRE QUE SES ENNEMIS EUX-MÊMES N'ONT PAS RETROUVÉ SON CORPS... OU QUE CELUI-CI, "MAL" ASSASSINÉ, N'EST PLUS MONTRABLE SANS RISQUE? C'EST BIEN ÇA ?
ÇA POURRAIT L'ÊTRE, EN TOUT CAS...

ALORS, "ON" SE PROCURE UN AUTRE CADAVRE, PLUS PROPRE, QU'ON VA FAIRE PASSER POUR LE VRAI... MONSIEUR SUN SERA MORT DEUX FOIS.. MAIS **POURQUOI?**
JE VOIS QUE NOUS EN ARRIVONS À LA MÊME QUESTION. NOUS NE SERONS PAS TROP DE TROIS POUR EN CHERCHER LA RÉPONSE ...

JE PARIE QU'ELLE EST LÀ, QUELQUE PART. VINGT-SEPT ANNÉES D'ARCHIVES DU "CLARION", JEUNE HOMME. TOUS LES DÉTAILS QUOTIDIENS DE CETTE VILLE. MOUILLEZ VOTRE INDEX, ON VA FEUILLETEZ UN PEU ...
!?

MAIS... À QUELLES RUBRIQUES?... JE VEUX DIRE : ON CHERCHE QUOI, AU JUSTE ?
AUCUNE IDÉE. JUSTE UN PRESSENTIMENT: LA MAISON. POURQUOI BRONZ Y TIENT-IL TANT ?.. JE VEUX DIRE: BRONZ ET SES COMMANDITAIRES, CHERCHONS!

MOI QUI M'ÉTAIS ENGAGÉ DANS L'AIR FORCE POUR FUIR MES BOUQUINS DE DROIT, PARCE QUE LA LECTURE ME DONNE LA MIGRAINE! BON SANG! COLBY NE SAURA JAMAIS CE QUE JE FAIS POUR LUI!

OH! SI... À LA BIBLIOTHÈQUE MUNICIPALE DE NEW YORK CITY...
28

BOUHH-H! J'EN AI JUSQU'AUX YEUX, MOI, DE MAÎTRE TREVÉYLAN, DE LA CHRONIQUE JUDICIAIRE ET DES ÉCHOS MONDAINS. ON N'EN TIRERA RIEN, PHIL!
SI! JE LE SENS!

CES JOURNAUX CONFIRMENT CE QUE J'AI DÉJÀ APPRIS AUPRÈS DU CAPITAINE DILLON. TREVEYLAN A GAGNÉ TOUS SES PROCÈS POURRIS SANS UNE FAUTE, SANS LAISSER D'OMBRE... MAIS IL FAUT BIEN QUE, QUELQUE PART, IL DONNE PRISE À UN DÉBUT D'ESQUISSE DE QUELQUE CHOSE... QUELQUE CHOSE QUI AIT UN RAPPORT QUELCONQUE AVEC...
SHSHSH-TTT!
SILENCE

UN SEUL AVERTISSEMENT, MONSIEUR. LE RÈGLEMENT. JE SERAIS AU REGRET.
!
SILENCE

MBLGRMPFMBL...

ATTENTION: MONSIEUR LE GRAND PATRON DE LA GRANDE AGENCE BLUE SKY VA SE FAIRE METTRE AU COIN, S'IL...
BON SANG!

ON L'A! JE PARIE QU'ON L'A, NOM D'UN MIKADO!
SKRII-II

OUI, OUI, JE SAIS: VOUS AVEZ MON ADRESSE SUR LA FICHE QUE J'AI REMPLIE! ENVOYEZ LA FACTURE ET L'AMENDE, MON GARS! J'Y AJOUTERAI MÊME LE PRIX DE VOS CALMANTS! AU GALOP, BROADWAY!
EXIT
29

UPLIC LIBRAIRY
MAIS... C'EST QUOI, CE JOURNAL? ÇA PARLE DE TAIYO?
NON! DE BOGGS! DU PRÉCIEUX, DU PROBABLEMENT MIRACULEUX MEREDITH B. BOGGS, QUE NOUS ALLONS DEVOIR RETROUVER! JE SUIS SÛR QU'IL EST TOUJOURS EN VIE!

BOGGS? MAIS D'OÙ SORT CE TYPE-LÀ? JAMAIS ENTENDU P...
IL TRAVAILLAIT PENDANT LA GUERRE COMME HOMME À TOUT FAIRE CHEZ TREVEYLAN. UN SOIR, FIN SAOUL, IL A FAILLI FOUTRE LE FEU, ET TREVEYLAN L'A VIRÉ. JUSTE UN FAIT-DIVERS DANS LE JOURNAL. PARCE QUE PLUS PERSONNE NE SAIT LIRE!

CE BOGGS DOIT HAÏR TREVEYLAN. D'AUTANT PLUS QUE L'AUTRE L'A TRAITÉ PAR LE MÉPRIS. GROSSIÈRE ERREUR: ON NE SE CONTENTE PAS DE FLANQUER À LA PORTE UN IVROGNE QUI A EU ACCÈS À VOS CORBEILLES À PAPIER PENDANT DES ANNÉES, QUAND ON EST DANS CETTE PARTIE-LÀ!..
...BOGGS..B..BO..

JE L'AI! BOGGS, M,B... IL CRÈCHE À LA LIMITE DES QUARTIERS CHINOIS ET ITALIEN.. OK! CROCHET CHEZ MOI ET JE FONCE!
MAIS... S'IL A LE TÉLÉPHONE, NOUS POURRIONS SIMPLEMENT ....

..LUI FLANQUER LA FROUSSE ET LUI DONNER LE TEMPS DE DÉGUERPIR? AH NON! RENTREZ CHEZ VOUS CHÉRIE. LE QUARTIER OÙ JE VAIS N'EST PAS FAIT POUR LES DAMES, LA NUIT!
SKY VIEW

MUFLE! ET EN PLUS, JE VOUS INTERDIS DE M'APPELER "CHÉRIE", MONSIEUR COLBY! RIEN NE VOUS AUTORISE À CROIRE QU...
ET SOYEZ AU BUREAU À HUIT HEURES, CHÉRIE! C'EST L'HEURE À LAQUELLE TAXI OU WARSOW SONT CENSÉS TÉLÉPHONER LEURS RAPPORTS! G'NIGHT!

BOGGS... IL A BIEN DIT "BOGGS", J'AI ENTENDU.. "IL SUFFIT PARFOIS D'UN VER LUISANT POUR ÉCLAIRER LA PISTE", DISAIT SOUVENT MON PÈRE...
M BLANC DUMONT 92 30

BON. LE DÉBITANT DE JUS DE CACTUS POURRI N'AVAIT PAS MENTI : MADAME SCHWARTZ, DITE LA MÈRE CATHY, LOUE EFFECTIVEMENT DES PUCIERS...
ROOMS AVAILABLE GENTLEMEN ONLY PERMITE CATH. SCHWARTZ
1225

TANT PIS. FAUT QUE JE ROUPILLE DEUX OU TROIS HEURES, AUTREMENT QUE PLIÉ EN QUATRE DANS LA BAGNOLE...

BON, C'EST D'ACCORD. MAIS ON NE FUME PAS DANS L'IMMEUBLE. C'EST TROIS DOLLARS LA NUIT, ET CINQUANTE CENTS LA DOUCHE, QUI EST AU BOUT DU COULOIR.

PAS DE BAGAGE ? ÇA NE FAIT RIEN, JE VOUS PRÊTERAI UN PEIGNOIR DE MON DÉFUNT PENDANT QUE JE DONNERAI UN COUP DE FER À VOS NIPPES, JE NE VEUX PAS QU'ON PRÉTENDE QU'UN CLOCHARD A LOGÉ CHEZ CATHY SCHWARTZ !
M. MAIS ....

QUOI, "MAIS" ? VOUS N'AIMEZ PAS LES POMMES AU LARD ? C'EST POURTANT CE QUE JE VAIS VOUS SERVIR À DÎNER, ON ENTEND VOTRE ESTOMAC GARGOUILLER D'ICI !

VOILÀ. LE PEIGNOIR EST DANS LA PENDERIE. ENLEVEZ VOTRE PANTALON ET DESCENDEZ À LA CUISINE QUAND VOUS SENTIREZ L'ODEUR DU CAFÉ.
M. MAIS ...

UNE DOUCHE... UN VRAI LIT... UN PRESSING ET UN REPAS CHAUD... DIS-DONC, VIEUX JAP... DE QUOI AURAIS-JE EU LE PLUS ENVIE, SI JE M'ÉTAIS RETROUVÉ À PALOMAR, TOUT JUSTE LIBÉRÉ D'UN CAMP ?.. C'EST PEUT-ÊTRE UN COUP DE POKER, MAIS...
31

AH? VOUS SAVEZ ÇA AUSSI?.. NON, LES SOLDATS AVAIENT LEUR MESS ET LEUR BUANDERIE... PAR CONTRE, QUAND LES DÉTENUS ONT ÉTÉ RELÂCHÉS, VOUS AURIEZ DÛ VOIR L'ÉTAT DE LEUR GARDE-ROBE. JE N'AVAIS PAS ASSEZ DE FERS !

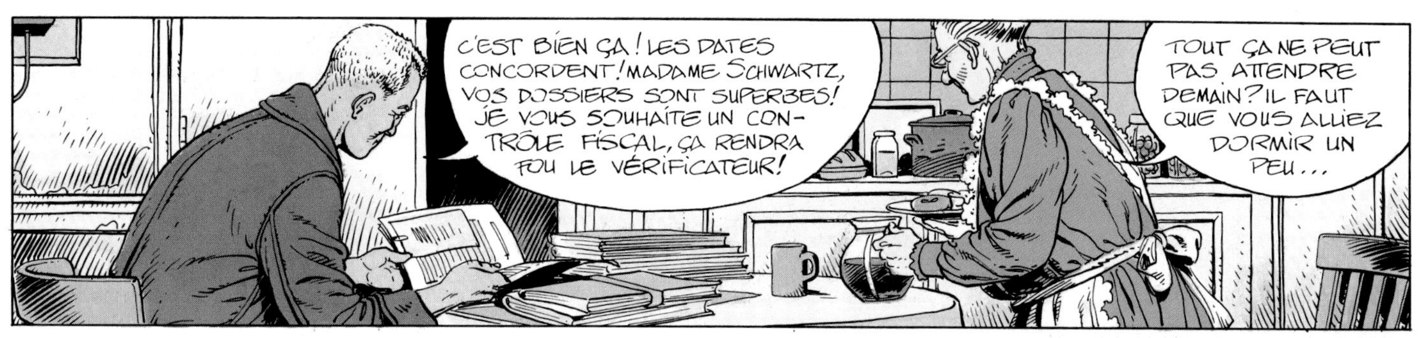
C'EST BIEN ÇA ! LES DATES CONCORDENT ! MADAME SCHWARTZ, VOS DOSSIERS SONT SUPERBES ! JE VOUS SOUHAITE UN CONTRÔLE FISCAL, ÇA RENDRA FOU LE VÉRIFICATEUR !
TOUT ÇA NE PEUT PAS ATTENDRE DEMAIN ? IL FAUT QUE VOUS ALLIEZ DORMIR UN PEU...

DORMIR ? IL N'EN EST PLUS QUESTION. COMMENT APPELLE-T-ON MANHATTAN, D'ICI ? L'INTER ?
NON, LA STANDARDISTE. LAISSEZ-MOI FAIRE.

GREENWICH, 205-6700.. C'EST DANS LE COIN OÙ OPÈRE TAXI... APPEL "PERSON TO PERSON" POUR UN NOMMÉ HUGO BRONZ... QUI C'EST, CE MEC-LÀ ?
ALLÔ, NANCY ? C'EST CATHY...

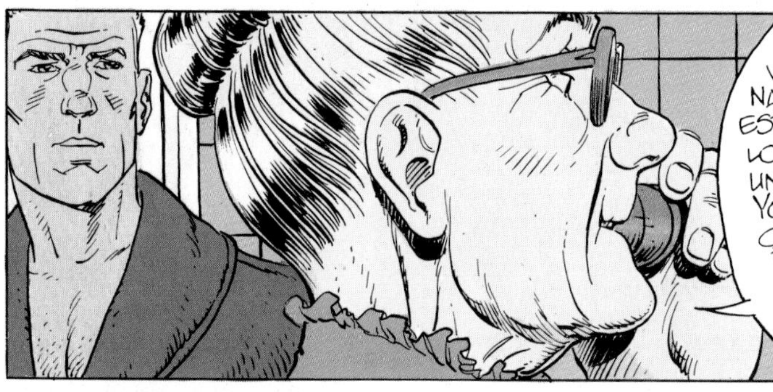
ET LES ENFANTS, ÇA VA ? BON ! ÉCOUTE, NANCY, JE SAIS QU'IL EST TARD, MAIS UN DE MES LOCATAIRES VOUDRAIT UN NUMÉRO À NEW YORK... OUI... COMMENT ÇA, "ENCORE UN" ? D'ICI, DE PALOMAR ? ÇA POUR UNE COÏNCIDENCE !

!!
ALLÔ, NANCY ? OUAIS. ICI LE LOCATAIRE EN QUESTION. QUI VOUS A DEMANDÉ MANHATTAN ? QUAND, ET D'OÙ ?.. DÉSOLÉ, MON PETIT : POLICE ! J'AI BESOIN DE SAVOIR !

MFH !
HEU... OUI. HEIN ? DU "HERBIE'S BAR" ? UN NOMMÉ LOUIS DRAKE ? OUI, D'ACCORD, UN VOYOU, VOUS LE CONNAISSEZ. O.K. ET IL DEMANDAIT..? ...IL DEMANDAIT QUI ? NOM DE DIEU !!

ALLÔ, QUI ? WILLY ? TU SAIS L'HEURE QU'IL... ..MHH ? PHIL ? IL EST AU QUARTIER CHINOIS, J'AI RIEN COMPRIS... ET TAXI ? BEIN, À EASTPORT... L'AVERTIR ?... QUOI ? TOUS PIÉGÉS ? DANGER DE MORT ??
MAIS, WILLY... ALLÔ ! ALLÔ ???
33

"PRESSÉ"! IL A OSÉ DIRE QU'IL ÉTAIT PRESSÉ, CE PITRE! À MOI DE RETROUVER LES DEUX AUTRES, À PRÉSENT!... EASTPORT... EAST... AH! VOILÀ!..

LE PLUS SÛR, C'EST ENCORE LA POLICE LOCALE... TAXI Y SERA PEUT-ÊTRE PASSÉ.... BON... 2-0-3...

ALLÔ? OUAIS, ICI LE POSTE MUNICIPAL D'EASTPORT... SERGENT CARRINGTON À L'APPAREIL... QUI? ... DELANEY?... OUAIS! C'EST MOI QUI L'AI RELÂCHÉ. BEL APPÉTIT, CE GARS, MALGRÉ SA MÂCHOIRE AMOCHÉE...

AMOCHÉ? RELÂCHÉ?... VOUS ÊTES SÛR QUE C'EST LE MÊME?.. IL FAUT QUE JE LE TROUVE! OÙ ÇA? AU JOURNAL LOCAL? À CAUSE DE LA CAUTION?.. DONNEZ-MOI LE NUMÉRO...

HÉ, CHUCK, REGARDEZ VOIR... JUILLET 1939... LE CONNECTICUT ADOPTE LA LOI DE L'APEX... CE NE SERAIT PAS ÇA?
BON SANG, GARÇON! SOUS QUELLE ÉTOILE ES-TU DONC NÉ? DANS LE MILLE, JE PARIE! FAIS VOIR...
J'Y VAIS...

ALLÔ? QUI ÇA? BROADWAY? JE NE CONNAIS P... AH, DE L'AGENCE BLUE SKY À NEW YORK? OUI, IL EST ICI, MAIS...
LÀ! ICI: "...PAR HUIT VOIX CONTRE SIX... LA VIEILLE LOI DE L'OUEST, CELLE D'AUGUST HEINZE, EST DONC REMISE EN ACTIVITÉ. ON S'INTERROGE SUR LES INFLUENCES QUI..."

OUI, JE LE LUI DIRAI... HEIN? UN DANGER? QUELLE SORTE DE DANGER, JE... OH! CHUCK! TAXI! LA RUE!!!
34

THE CLARION
EDITOR
BON SANG! JE RECONNAIS CETTE TIRE! CE SONT LES GARS QUI M'ONT PRIS POUR UN PUNCHING-BALL SUR LA ROUTE... PLANQUEZ-VOUS!
VRRAOOMM

KKKKRAAAASH

AAH!.. LES.. PAS BLESSÉE?
NON! VITE! LÀ, LE TIROIR! ON A LE NEZ SUR LES SOUVENIRS DE GUERRE DE CHUCK!

ON LES FINIT AUX PRUNEAUX! APRÈS, LE FEU À LA BAGNOLE, ET BONSOIR LES FOUINARDS!
OK, VU!

CHUCK NE BOUGE PLUS, IL... OH, MON DIEU!..
'N'CHOSE À LA FOIS! COUCHÉE!
M BLANC DUMONT 92 35

BAAOOOMMM

MAIS... MAIS C'EST AFFREUX ! JE N'AURAIS JAMAIS CRU QU...
C'EST COMME ÇA LA GUERRE, BEAUTÉ ! DÉSOLÉ QUE VOUS AYEZ ÉTÉ AUX PREMIÈRES LOGES ! ÇA VA ?

CHUCK ! VOUS... VOUS ÊTES VIVANT !
F... FICHEZ LE CAMP, LES ENFANTS ! LA POLICE S'OCCUPERA DE MOI... ...TAXI SAURA QUOI FAIRE, MAINTENANT...
SANS COMPTER QUE CES DEUX-LÀ ONT SÛREMENT DES COPAINS DANS LE SECTEUR. CHUCK A RAISON : VENEZ, JO !

ÇA DONNE SUR LA RUELLE, PAR LÀ ?
OUI, MAIS... CHUCK... VOUS ÊTES SÛR QUE.. ?.

LES JAMBES CASSÉES ET SANS DOUTE DES CONTUSIONS INTERNES, J'AI VU ÇA CENT FOIS DANS LE PACIFIQUE ! ON TÉLÉPHONERA À L'HÔPITAL DEMAIN.. DE NEW YORK ?
HEIN ? DE N... ON VA À NEW YORK ?
36

* HISTORIQUE : "L'APEX" ÉTAIT LE NOM D'UNE MINE DE CUIVRE APPARTENANT À AUGUST HEINZE (1864).

SWORDFISH
2.95
BONSOIR MESSIEURS. JE NE VOUS DÉRANGERAI PAS LONGTEMPS...
LE PERSONNEL EST AU COMPLET, MEC. ON N'EMBAUCHE PAS.

JUSTEMENT. ON M'A DIT QU'UN VIEUX POTE À MOI TRAVAILLE ICI. JE DONNERAIS BIEN DIX OU VINGT DOLLARS POUR LE PLAISIR DE LE RETROUVER. IL S'APPELLE BOGGS.
SWORDFISH
2.95
CATCH OF
THE DAY
OCTOPUS: 09

BOGGS, TU DIS? JE NE VOIS PAS... MAIS SI C'EST UN VIEUX COPAIN À TOI, TU LE RECONNAÎTRAIS AU PREMIER COUP D'OEIL, PAS VRAI?
C'EST-À-DIRE... ÇA DATE D'AVANT LA GUERRE... ON A TOUS UN PEU CHANGÉ...

ÇA, C'EST VRAI. Y A MÊME DES GENS QUI SE PARLAIENT, AVANT, ET QUI N'EN ONT PLUS ENVIE. TU DEVRAIS ALLER TE FAIRE DE NOUVEAUX COPAINS AILLEURS, MEC. AVEC TOUS TES DOLLARS, TU TROUVERAS FACILEMENT...

HÉ! VOUS, LÀ...
BOGGS?...

BOGGS! REVENEZ! JE NE VOUS VEUX AUCUN MAL! JE VOUS JURE QUE JE NE TRAVAILLE PAS POUR CELUI DONT VOUS AVEZ PEUR! BOGGS!
38

NEW JEANNIE'S
C'EST LE CONTRAIRE, BOGGS! JE CHERCHE À COINCER QUI VOUS SAVEZ! VOUS SEUL POUVEZ M'AID...

QU..? MERDE!!

RHACK
TACK
HACK
ATHAC

DEMI-TOUR! JE NE SUIS PAS SÛR D'AVOIR TROUÉ LE PREMIER!
OKAY, M... HEY! DEVANT! REG...

BANG
AGGH..
39

KKKKRA ASH

PAW

LE SCORPION PRIVÉ DE SA QUEUE DÉTALE TROP VITE, MÊME POUR L'OEIL DU FAUCON... J'AI RATÉ LE TUEUR... ET CELUI-CI? ...
MOINS CHANCEUX QUE VOTRE VERMINE.. MAIS JE CROIS QU'IL NOUS ENTEND. BOGGS! HÉ, BOGGS?..

ÇA.... D-DEVAIT FINIR C-COMME ÇA... L'ÉTUI EN TOILE CIRÉE... SOUS MA CHEMISE... C'ÉTAIT M-MON ASSURANCE... PAPIERS... P-POUR VOUS...

FINI..
ON APPELLE LA POLICE?

IL Y A VINGT TÉLÉPHONES QUI FONCTIONNENT, DERRIÈRE LES FENÊTRES DE CETTE RUE. PAS BESOIN DE NOUS. OKAY, CE SONT BIEN LES PAPIERS QUE J'ESPÉRAIS. ON SE TIRE.
À PIED, ALORS. MON TAXI N'A PAS ATTENDU, JE ME DEMANDE POURQUOI?

QUELLE DIRECTION?
PAS MON BUREAU, EN TOUT CAS: TROP CHAUD! J'AI UNE MEILLEURE IDÉE!

AUX ABORDS DE PALOMAR FLATS, LE SOLEIL SE LEVAIT DÉJÀ, MOROSE...
STANDARD
STANDARD
ATLAS TIRES
SAVE
QUE!? CETTE BAGNOLE ....

ENCORE VOUS ? MAIS C'EST PAS VRAI ! ALORS, ON RÉITÈRE ? ON INSISTE ? ON ABUSE ?
OUAIS. ET POUR LES CLAQUES, C'EST LA MÊME CHOSE, MON BON LARRY. TU ME REFAIS LE PLEIN, OU TU RETOURNES MESURER LA ROUTE AVEC TON NEZ.

JE SAIS PAS POURQUOI J'OBÉIS.
STANDARD
NEW YORK JD 346
PARCE QUE JE TE SUIS SYMPATHIQUE. ET QUE TU SENS LE VENT TOURNER

LE VENT ? QUEL VENT ? COMPRENDS PAS !
MAIS SI. TU TE DIS QUE SI JE SUIS TOUJOURS VIVANT, C'EST QUE QUELQUE CHOSE A FOIRÉ. ILS N'ONT EU QUE LE SERGENT KIRSCH, AU CAMP... À PROPOS, TU NE ME L'AVAIS PAS DIT, QUE TU AVAIS UN SECOND TÉLÉPHONE, DANS TA BARAQUE...

C'EST PAS ICI, C'EST EN FACE, À CÔTÉ DES FRIG... HEU... ET PUIS, MERDE, J'AI RIEN DIT

EN FACE, DANS LE CLAQUE FERMÉ ? MAIS BIEN ENTENDU ! ET DES FRIGOS QUI MARCHENT TOUJOURS.. C'EST BIEN NORMAL, DANS LE DÉSERT. TU VAS ME FAIRE VISITER, J'AI SOIF D'UN PETIT GLAÇON !
N... NE TIREZ PAS !
41

HOTEL
BAR
JE... J'AI PAS LA CLEF !
SÍ MAIS ÇA N'A PAS D'IMPORTANCE

LES MAISONS CLOSES, ÇA NE DEMANDE QU'À S'OUVRIR !

M-MAIS... QU'EST-CE QUE VOUS CHERCHEZ ? Y A PLUS RIEN, ICI...
ON PARIE ? FAIS-NOUS DE LA LUMIÈRE. ÇA DOIT MARCHER, PUISQUE LES RÉFRIGÉRATEURS FONCTIONNENT. ON LES ENTEND RONRONNER D'ICI
POURQUOI VOUS LAISSEZ PAS TOMBER ? ILS SONT TROP FORTS POUR VOUS, "LÀ HAUT". D'AILLEURS, SI VOUS ÉTIEZ ARRIVÉS QUELQUES JOURS PLUS TARD COMME PRÉVU, TOUT SE SERAIT TRÈS BIEN PASSÉ, ET ON N'AURAIT PAS EU À SE FÂCHER...
JE SAIS, J'AVAIS COMPRIS.

SEULEMENT, ON SERAIT PASSÉS POUR DES CONS, MES COPAINS ET MOI. JE TE PARLAIS D'UN PARI, IL TIENT TOUJOURS : C'EST MOI, DANS TON COIN, QUI DEVAIS DÉCOUVRIR LE CADAVRE, MÉCONNAISSABLE, DE NOTRE AMI Mr SUN. Y AURAIT PAS UN DE CES NOUVEAUX MACHINS, CE QU'ON APPELLE UN CONGÉLATEUR, LÀ-DERRIÈRE ? DU MODÈLE OÙ ON PEUT RANGER UN BOEUF ENTIER...

OH, J'OUBLIAIS L'ENJEU : SI JE GAGNE, J'EMPORTE TA CERVELLE EN SOUVENIR DANS UN DEMI-CRÂNE. ET SI JE ME TROMPE, PAREIL : JE SUIS MAUVAIS PERDANT. ALLEZ, ON VA AUX FRIGOS.
42

SALOPERIE DE MERDE DE MALEDICTION! POURQUOI QU'Y M'ONT LAISSÉ SEUL AVEC UNE BRUTE COMME VOUS?
PARCE QU'ON ME SOUS-ESTIME TOUJOURS. ET COMME ÇA ME VEXE, JE DEVIENS DÉSAGRÉABLE. FAUT PAS M'EN VOULOIR, METS-TOI À MA PLACE ....
super FROST

...À MOINS QUE TU NE PRÉFÈRES PRENDRE CELLE DU MALCHANCEUX QUI NOUS ATTEND LÀ, À L'INTÉRIEUR?

EH BEN, VOILÀ. LE VRAI SUN A DÛ ÊTRE TUÉ DEPUIS SI LONGTEMPS QUE, MÊME DANS LA GLACE, IL N'AURAIT PAS PU M'ATTENDRE. CELUI-CI A EU LE TORT D'ÊTRE JAUNE AUSSI, SANS DOUTE UN VAGABOND... ON VA RETOURNER PRENDRE MON APPAREIL-PHOTO DANS LA BAGNOLE

VOUS... ON LE LAISSE LÀ?
IL NE SE SAUVERA PAS. ET PUIS, ON NE DOIT JAMAIS INTERROMPRE LA CHAÎNE DU FROID, C'EST MALSAIN.

VOILÀ. PHOTOS DU MACCHABÉE-BIS DANS LA BOÎTE... ESSENCE, PETITS BISCUITS POUR LA ROUTE... EMPORTE UN GRAND BIDON D'EAU POUR TOI-MÊME, LARRY. ON Y VA.
HEIN? MOI? POURQUOI?

STANDARD
PARCE QUE TU VAS REVENIR À PINCES, QUAND JE T'AURAI DÉPOSÉ AU BOUT DU DÉSERT, DANS TROIS OU QUATRE HEURES... SI JE VEUX ÊTRE À NEW YORK CE SOIR, JE NE PEUX NI M'ENCOMBRER, NI TE LAISSER PRÉVENIR TON PETIT POTE... COMMENT, DÉJÀ?.. AH OUI : BRONZ, TROP VITE...
!?!
43

* NAT PINKERTON: LA PLUS GRANDE AGENCE DE POLICE PRIVÉE AMÉRICAINE, TOUJOURS EN ACTIVITÉ.

BROADWAY !...
COLBY ! ATT...
PLOP
OOHH !
HAOOG !
MF-FFHH !!
DES DÉBUTANTS ! MOI QUI M'ATTENDAIS À AFFRONTER DES COW-BOYS COMME À O.K. CORRAL !
FAUT ARRÊTER L'HÉMORRAGIE DU CITRON. DES FOIS QUE LE PATRON LE VOUDRAIT VIVANT... ET PUIS, PAS DE TRACES ! SHELDON, TU LAVERAS LE PLANCHER !
MERDE, ET SI JE DÉTACHAIS LA FILLE ? ELLE POURRAIT LE FAIRE, ELLE ....

C'EST ÇA. ET TU METTRAS TES YEUX DANS SON SEAU, AUSSI, QUAND ELLE TE LES AURA ARRACHÉS. J'ESPÈRE QUE WALTERS EST MOINS CON QUE TOI, À L'AUTRE PLANQUE...

ALLO ? OUAIS, ICI L'AGENCE BLUE SKY... OH, C'EST TOI, BRONZ ?.. WALTERS. OUAIS, SANS PROBLÈME.. JUSTE UN PEU DE SPORT. ILS NOUS SONT TOMBÉS DANS LES BRAS Y A PAS DIX MINUTES... OK, ON EMBARQUE. BISOUS, MA GRANDE !
M BLANC DUMONT 45

NOM DE DIEU!
N.Y.C
RADIO PATROL
009
MANHATTAN EXPRESS

DU BOULOT INATTENDU, CAP'TAIN ?
DU COLBY TOUT CRACHÉ! BON SANG.. QU'EST-CE QU'ON A COMME VOITURES DE PATROUILLE, DANS LE SECTEUR DE SON BUREAU?

LA 18... SCHULTZ ET MAGGIO... ET PUIS LA 4, DOLAN ET KOWALSKI... AH OUI, IL Y A AUSSI LE SERGENT TRACY, IL EST EN CONGÉ: IL HABITE À DEUX MAISONS DE LÀ...

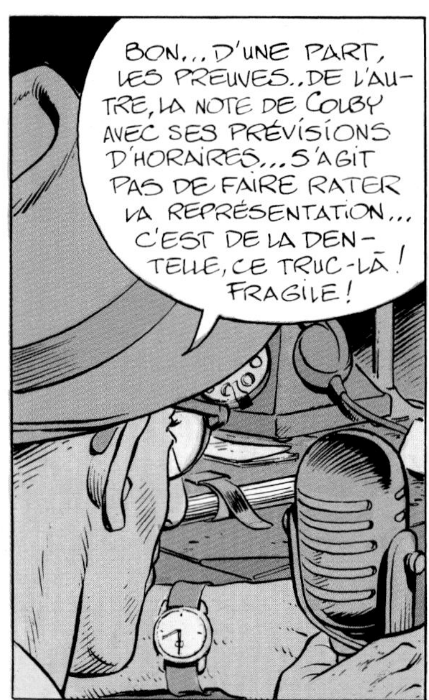
BON... D'UNE PART, LES PREUVES.. DE L'AUTRE, LA NOTE DE COLBY AVEC SES PRÉVISIONS D'HORAIRES... S'AGIT PAS DE FAIRE RATER LA REPRÉSENTATION... C'EST DE LA DENTELLE, CE TRUC-LÀ! FRAGILE!

ALLO, ICI LA 18... MAGGIO À L'APPAREIL... VOUS REÇOIS CINQ SUR CINQ... ALLO? OUI, MON CAPITAINE... 33 ÈME OUEST À LA NEUVIÈME...
POLICE
NY 6127

OKAY, MAGGIO. VOUS SAVEZ OÙ CRÈCHE TRACY? BON. FILEZ-Y. JE L'APPELLE. IL VOUS PRÊTERA DES VÊTEMENTS CIVILS. DANS DIX MINUTES, DÉBUT DU PLAN QUE VOICI ...

EXIT 5 TO MANHATTAN
CRACHEZ SUR VOTRE MOUCHOIR ET NETTOYEZ VOS PLAQUES, L'AMI. LES FLICS DE CE VILLAGE AIMENT BIEN LIRE LES CHIFFRES, ÇA LES DISTRAIT.
FAUDRAIT QU'IL ME RESTE DE LA SALIVE. LE SABLE DU DÉSERT ME COLLE ENCORE AUX DENTS, ET ÇA FAIT HUIT HEURES QUE JE ROULE!
PAY TOLL 25 CENTS
EXIT 5 TO MANHATTAN
46

GREYHOUND
POURQUOI J'AI PAS PRÉVENU PHIL PAR TÉLÉPHONE, MOI ? POUR NE PAS LE RÉVEILLER ? NON. JE SUIS BON ET SENTIMENTAL MAIS PAS À CE POINT LÀ...

PEUT-ÊTRE QUE CE SONT MES RÉFLEXES QUI S'ÉMOUSSENT ...

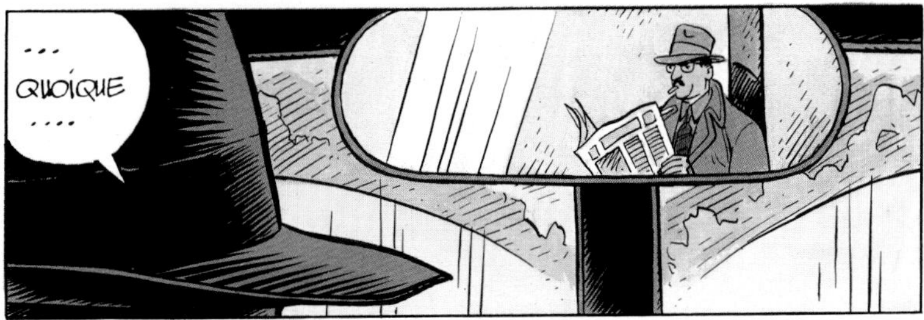
... QUOIQUE ....

ON NE SE REFAIT PAS. J'AI TOUJOURS EU UNE ANTIPATHIE INSTINCTIVE POUR LES TYPES QUI LISENT LEUR JOURNAL SOUS UN RÉVERBÈRE, LES PIEDS DANS UNE FLAQUE, AVANT LE LEVER DU SOLEIL, JUSTE À L'ENDROIT OÙ JE VAIS

BON : IL REPLIE SA GAZETTE EN L'AGITANT UN PEU. CONCLUSION ...

LA RUE VA S'ANIMER !

47

HEY! C'EST UN GUET-APENS! CE TYPE VA SE FAIRE DESCENDRE! IL FAUT...
BOUGE PAS! ÇA SE PASSE TOUT JUSTE COMME LE CAP'TAIN AVAIT PRÉVU! SI CES COMIQUES AVAIENT ATTENDU LE TYPE POUR LE BUTER, CE SERAIT DÉJÀ FAIT, DEPUIS N'IMPORTE QUELLE FENÊTRE!

JETTE TON FLINGUE, WARSOW! T'AS PAS UNE CHANCE!

ON T'INVITE JUSTE À UNE PROMENADE. TES COPAINS SONT DÉJÀ À L'ENDROIT DU PIQUE-NIQUE. ON A ORDRE DE NE PAS T'ABÎMER!
SANS BLAGUE? EN VOILÀ UNE BONNE NOUVELLE!.. PARCE QUE ...

J'AI TOUJOURS RÊVÉ DE ÇA, MOI, DE REMPLIR DE TROUS DES SALAUDS QUI PEUVENT PAS RIPOSTER!
BANG
BANG
BANG

COMMENT? PAS PLUS NOMBREUX QUE ÇA? QU'EST-CE QUE JE VAIS FAIRE DU RESTE DE LA MATINÉE, MOI, ALORS?
T'EN FAIS PAS POUR ÇA WARSOW...

ON VA TE SUGGERER UN EMPLOI DU TEMPS!
48

ALLÔ, MON CAPITAINE?.. OUI. BON, EH BIEN, VOTRE GRAND COSTAUD A FINI PAR SUCCOMBER SOUS LE NOMBRE, C'ÉTAIT COURU.. NON, NON..: ASSOMMÉ, SEULEMENT. MAIS IL A FAIT DU DÉGÂT PARMI LES PETITS JEUNES GENS DE L'AUTRE CAMP... CEUX QUI TIENNENT ENCORE DEBOUT SONT EN TRAIN DE L'ENFOURNER DANS LEUR BAGNOLE...
IL Y EN A UNE DEUXIÈME, DE TIRE.. ON DIRAIT QU'ILS SORTENT DES CARTONS ET DES DOSSIERS DES BUREAUX DE LA "BLUE SKY"...

ILS NE PRENNENT PAS DE RISQUE, RIEN DERRIÈRE EUX, O.K., TRACY. JE VOUS AI FAIT ENVOYER LE "BUS" SPÉCIAL, IL DOIT ÊTRE EN BAS DE CHEZ VOUS, JE VOUS REPRENDS SUR LA FRÉQUENCE 7 DE LA RADIO DE BORD. EXÉCUTION!

ÇA Y EST? ON Y VA?
T'EMBALLE PAS. DÉFENSE DE SORTIR LES PÉTARDS. MAIS ON NE LES LÂCHE PAS.

NEW YORK
OMA 128
REX
FARMER DOC'S DAIRY PRODUCTS

ET VOILÀ! À PART LES BASTOS QU'ONT PRISES HANK ET MARIO, PAS DE BOBO! LE PATRON SERA CONTENT!
PAS DE BOBO? PARLE POUR TOI! CE GORILLE M'A CASSÉ LE NEZ, ET L'OEIL D'AL RESSEMBLE À UN CHEESEBURGER! ON A UNE PHARMACIE, À BORD?
REFRIGERATING CO.

ALLÔ, Q.G... ALLÔ, Q.G... ICI, LE FERMIER DOC... CONVOI QUITTE LA SEPTIÈME, DROIT SUR AMSTERDAM AVENUE... ALLÔ...
ÇA VA. ON SORT TOUT LE GARAGE. JE NE VEUX PAS MANQUER ÇA!
49

WOHM... GNN... SEULEMENT DU CHOCOLAT CHAUD, MA'AME SCHWARTZ...
V'LÀ BÉBÉ QUI REFAIT DÉJÀ SURFACE. BELLE SANTÉ, DITES DONC...
REMETS-Y EN UNE, AVANT QU'IL RECOMMENCE SON NUMERO...

PLUS LA PEINE, ON Y EST. ET IL FAUT QU'IL SOIT EN ÉTAT DE FAIRE LA CONVERSATION !

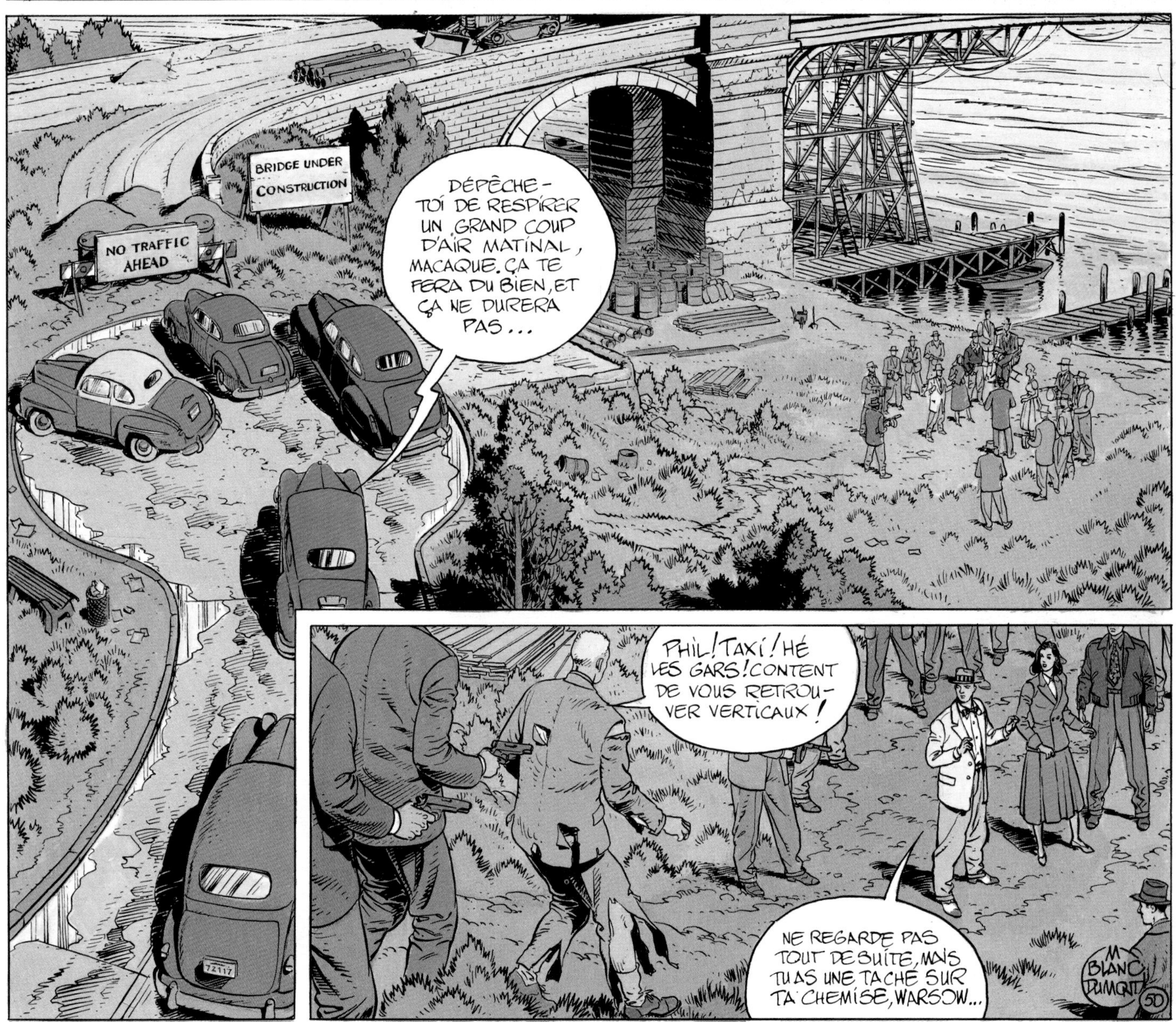
BRIDGE UNDER CONSTRUCTION
NO TRAFFIC AHEAD
DÉPÊCHE-TOI DE RESPIRER UN GRAND COUP D'AIR MATINAL, MACAQUE. ÇA TE FERA DU BIEN, ET ÇA NE DURERA PAS...
PHIL! TAXI! HÉ LES GARS! CONTENT DE VOUS RETROUVER VERTICAUX !
NE REGARDE PAS TOUT DE SUITE, MAIS TU AS UNE TACHE SUR TA CHEMISE, WARSOW...
M BLANC DUMONT 50

TOUCHANTES RETROUVAILLES. JE CONSTATE QUE PERSONNE NE S'ÉTONNE DE ME TROUVER ICI, **MOI**...
VOUS PLAISANTEZ, TREVEYLAN. ICI OU AILLEURS, NOUS AVIONS UN RENDEZ-VOUS ÉVIDENT...

IL EST ARRIVÉ UN MOMENT OÙ TOUS LES JOYEUX FLINGUEURS QUE VOUS NOUS AVEZ LANCÉS AUX TROUSSES ONT CESSÉ DE TIRER POUR **TUER**... JE SUPPOSE QUE CE N'EST QUE PARTIE REMISE, MAIS VOUS NOUS VOULIEZ D'ABORD **VIVANTS**... JE CROIS SAVOIR POURQUOI, MAIS VOUS REVENDIQUEZ SANS DOUTE LE PLAISIR DE L'EXPLIQUER À MES AMIS...

JE DÉTESTE FAIRE DEUX FOIS LES MÊMES ERREURS, COLBY. LA PROCHAINE FOIS, IL ME SERAIT DÉSAGRÉABLE QUE DES ENQUÊTEURS TROUVENT LE POT AUX ROSES AUSSI VITE QUE VOUS. EN FAIT, ILS NE LE TROUVERONT PAS DU TOUT. D'ABORD PARCE QUE VOUS NE SEREZ PLUS LÀ POUR LES CONSEILLER...

... ENSUITE, PARCE QUE VOUS ALLEZ ME RESTITUER LES PETITES PREUVES DÉRISOIRES QUE VOUS AVEZ GLANÉES... LES PANIERS DE CE PAUVRE BOGGS, PAR EXEMPLE... OÙ SONT-ILS ?

VOUS M'OUBLIEZ ! J'ÉTAIS VOTRE CLIENT, SI JE ME SOUVIENS BIEN !...
EXACT, TAY VOUS L'ÉTIEZ !

ET, OFFICIELLEMENT, VOUS LE SEREZ ENCORE. J'AI BIEN FAIT "REMPLACER" LE CORPS INUTILISABLE DE VOTRE DÉFUNT PAPA. EH BIEN ! **JE PRODUIRAI UN AUTRE HÉRITIER, QUI AURA VOS PAPIERS**. UN SOLEIL CHASSE L'AUTRE, ET ILS SE RESSEMBLENT TOUS, PAUVRE GOGO ! MON PLAN TIENDRA AVEC OU SANS VOUS !
???
51

QU'EST-CE QUI VOUS FAIT RIRE, VOUS ?
MOI ? OH, RIEN : LA SATISFACTION D'AVOIR EU RAISON. AINSI VOUS ALLEZ TOUT RECOMMENCER, AVEC DES "PRIVÉS" PLUS BÊTES QUE NOUS. VOUS PRODUIRE LA PREUVE "HONNÊTE" DE LA MORT DE MR SUN, UN FIGURANT SIGNERA POUR SON FILS, ET LA MINE CACHÉE D'EASTPORT SERA ENFIN À VOUS ... AH, ZUT, NOUS ALLIONS OUBLIER UN DÉTAIL...

C'EST QU'ON VA EN PARLER À LA RADIO, DANS LES JOURNAUX, DE CETTE MINE... ET IL RESTE DES TÉMOINS QUI POURRAIENT RÉAGIR... CATHY SCHWARTZ QUI A LOGÉ WARSOW... CHUCK CONNORS ENCORE À L'HÔPITAL, MAIS SAUVÉ.. ET..
BALIVERNES !

JE LES FERAI LIQUIDER ! COMME LES AUTRES ! COMME LE GROS JAP ! COMME BOGGS ! ET TOUS CEUX QUI POURRAIENT PARLER ! IL Y A CINQ ANS QUE JE ME BATS POUR OBTENIR CETTE BARAQUE ET SA MINE, COLBY ! CINQ ANS. ON NE ME L'ENLÈVERA PLUS ! QUEL QUE SOIT LE PRIX, VOUS ENTENDEZ ? ALORS CES PAPIERS, JE VOUS LES ARRACHERAI MÊME SI....

ERREUR SUR LA PERSONNE, MAÎTRE. ILS SONT ICI, VOS PAPIERS. MERCI DE M'AVOIR EXPLIQUÉ TOUTE LEUR IMPORTANCE...
!?

ICI, LE CAPITAINE DILLON. C'EST FOU CE QUE LES VOIX PORTENT, PRÈS DU FLEUVE, TREVEYLAN. VOUS ET VOTRE ZOO, VOUS ÊTES EN ÉTAT D'ARRESTATION !
52

L... LA POLICE? ICI? MAIS COMMENT ONT-ILS...?.
J'AVAIS PRÉVU UNE RÉUNION DE CE GENRE, TREVEYLAN. C'EST MOI QUI AI LANCÉ LES INVITATIONS. MAIS NE CONNAISSANT PAS LE LIEU EXACT DES FESTIVITÉS....

J'AI SUGGÉRÉ À MON AMI DILLON DE NOUS FAIRE SUIVRE, MES AMIS ET MOI. UNE EXCELLENTE AGENCE DE COURSIERS LUI A FAIT TENIR MON MESSAGE SANS DÉLAI. JE VOUS LA RECOMMANDE...
EST-CE QUE QUELQU'UN A UN APPAREIL PHOTOGRAPHIQUE? JE VOUDRAIS L'EXCLUSIVITÉ D....

VOUS AUREZ MIEUX QU'UNE PHOTO, POUPÉE! DU VÉCU!.. DU MOINS, "VÉCU" TANT QUE VOUS SEREZ OBÉISSANTE!
!

QUE LA FILLE S'ÉCARTE SEULEMENT DE VINGT CENTIMÈTRES ET JE LE...
PAS QUESTION! ON LAISSE FAIRE COLBY! IL EST MIEUX PLACÉ!

MONSIEUR COLBY! À MOI!!
NE RÉSISTEZ PAS! CE FOU N'IRA PAS LOIN!
TOI NON PLUS, PIED-PLAT!
C'EST PAS CE DÉPLAISANT LÀ QUI T'A FAIT DES ENNUIS À EASTPORT?
TOUT JUSTE. POURQUOI?

OH! JUSTE POUR SAVOIR...
53

VOUS N'AVEZ PAS UNE CHANCE! C'EST SANS ISSUE! OÙ VOULEZ-VOUS M'EMMENER?
AU DIABLE, S'IL LE FAUT! IL VOUS TRAITERA TRÈS BIEN, C'EST UN AMI À MOI! AH! AH! AH!

SI ON SE LANCE TOUS ENSEMBLE, IL N'AURA PAS LE TEMPS DE ....
NON! IL A PÉTÉ SES DERNIERS FUSIBLES, TU NE PEUX PAS PRÉVOIR LES RÉACTIONS D'UN FOU. MAIS JE CROIS DEVINER VERS QUOI IL VA, IL VA DEVOIR PIVOTER ....

GAGNÉ. LAISSEZ-LE MOI, J'AI TOUJOURS RÊVÉ DE POUVOIR ME PAYER UN AVOCAT!

ENCORE LE PETIT IMBÉCILE! CETTE FOIS...
PAN
PAN

DZAOONKK
MOINS DEUX. LUI RESTE QUATRE DANS LE CHARGEUR!

OOAFFH!
54

COLBY! LE CANOT À MOTEUR, DE L'AUTRE CÔTÉ! EMPÊCHEZ-LE !
BANG BANG BANG BANG

Vu !

PERSONNE NE ME BARRERA LA ROUTE, SALE PETIT MÉDIOCRE! JE SUIS HAVELOCK TREVEYLAN! JE SUIS TREVEYLAN!
DESCENDEZ DE LÀ, CINGLÉ! VOUS N'ALLEZ NULLE PART!
PAW

VOUS N'ÊTES QU'UN MUSCULAIRE, PAUVRE IDIOT! LES MUSCULAIRES N'EXISTENT PAS DEVANT LES CÉRÉBRAUX! JE VOUS ANÉANTIRAI! JE...
ATTENTION! L'ÉCH...

AAAAA...
.AAAHH..
55

TEXTES : MICHEL GREG _ DESSINS : MICHEL BLANC-DUMONT _ COULEURS : CLAUDINE BLANC-DUMONT

AS
J &
AUTO
TIR
CAR